西狹頌

彩色放大本中國著名碑帖

孫寶文 編

漢武都太守漢陽阿陽李君諱

翕字伯都天姿明敏敦詩悅禮

膺禄美厚继世郎吏幼而宿卫

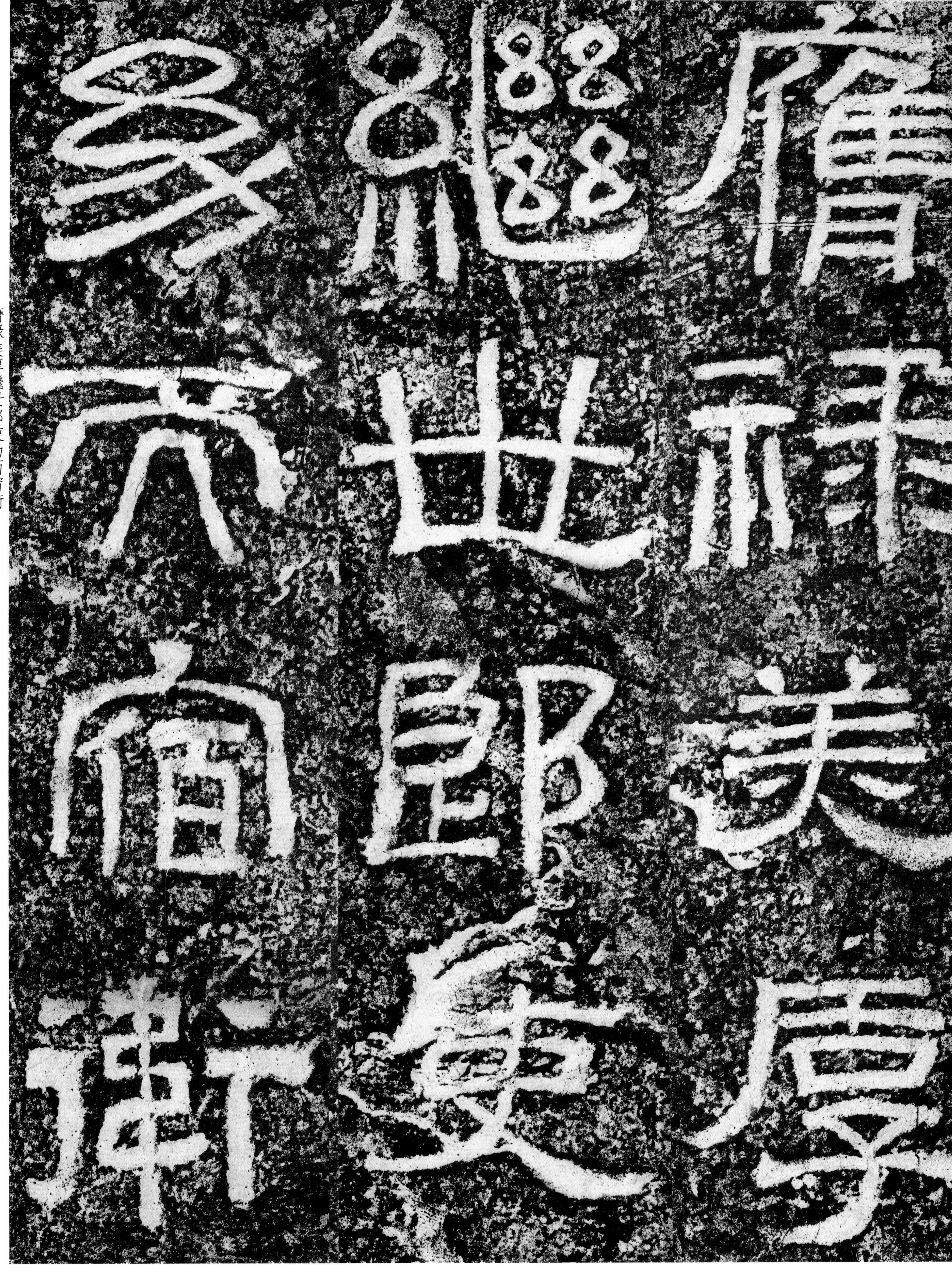

弱冠典城有阿鄭之化是以三

葥符守致黄龍嘉禾木連甘露

之瑞動順經古先之以博愛陳

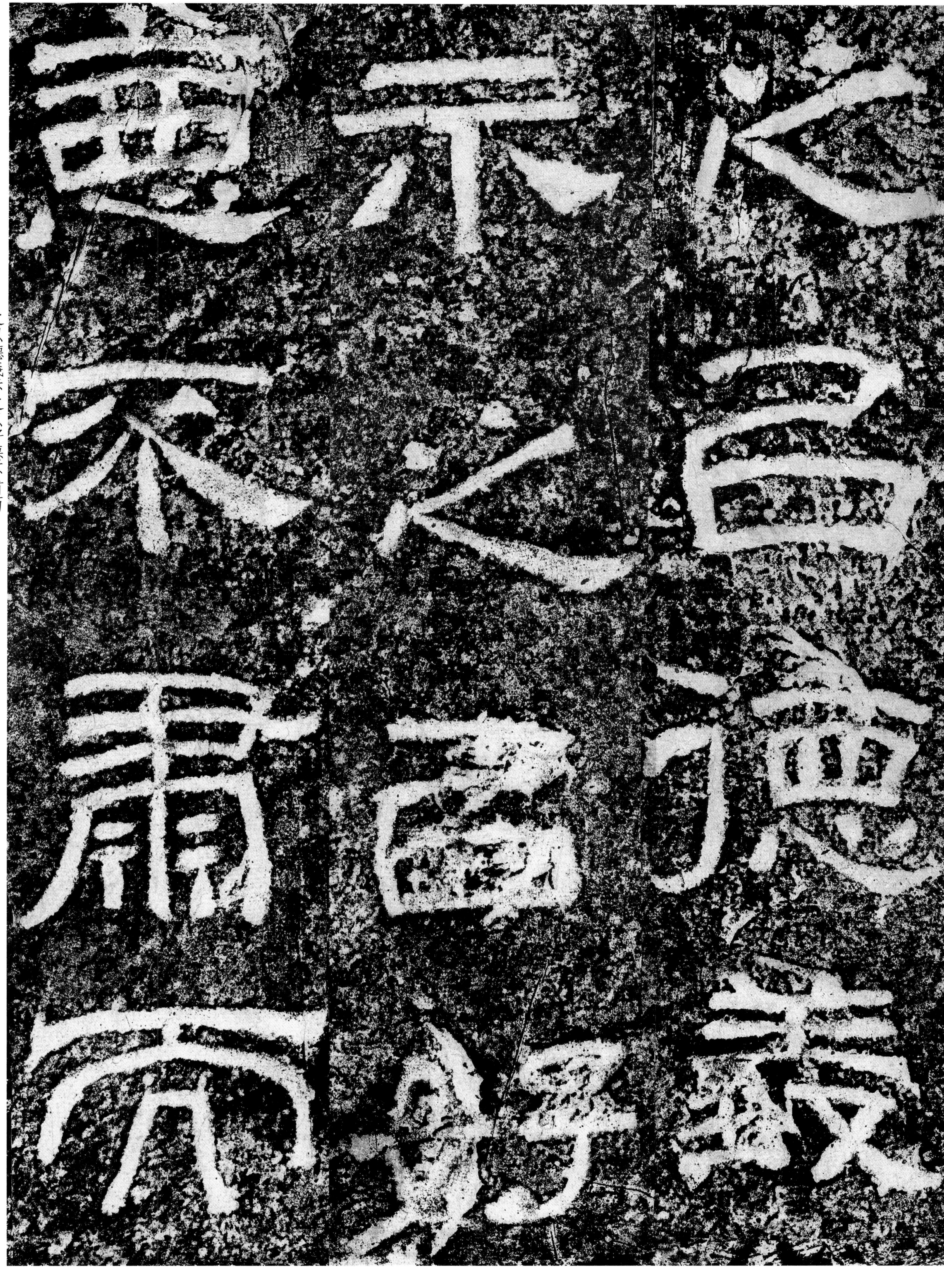

之以德義示之以好恶不肅而

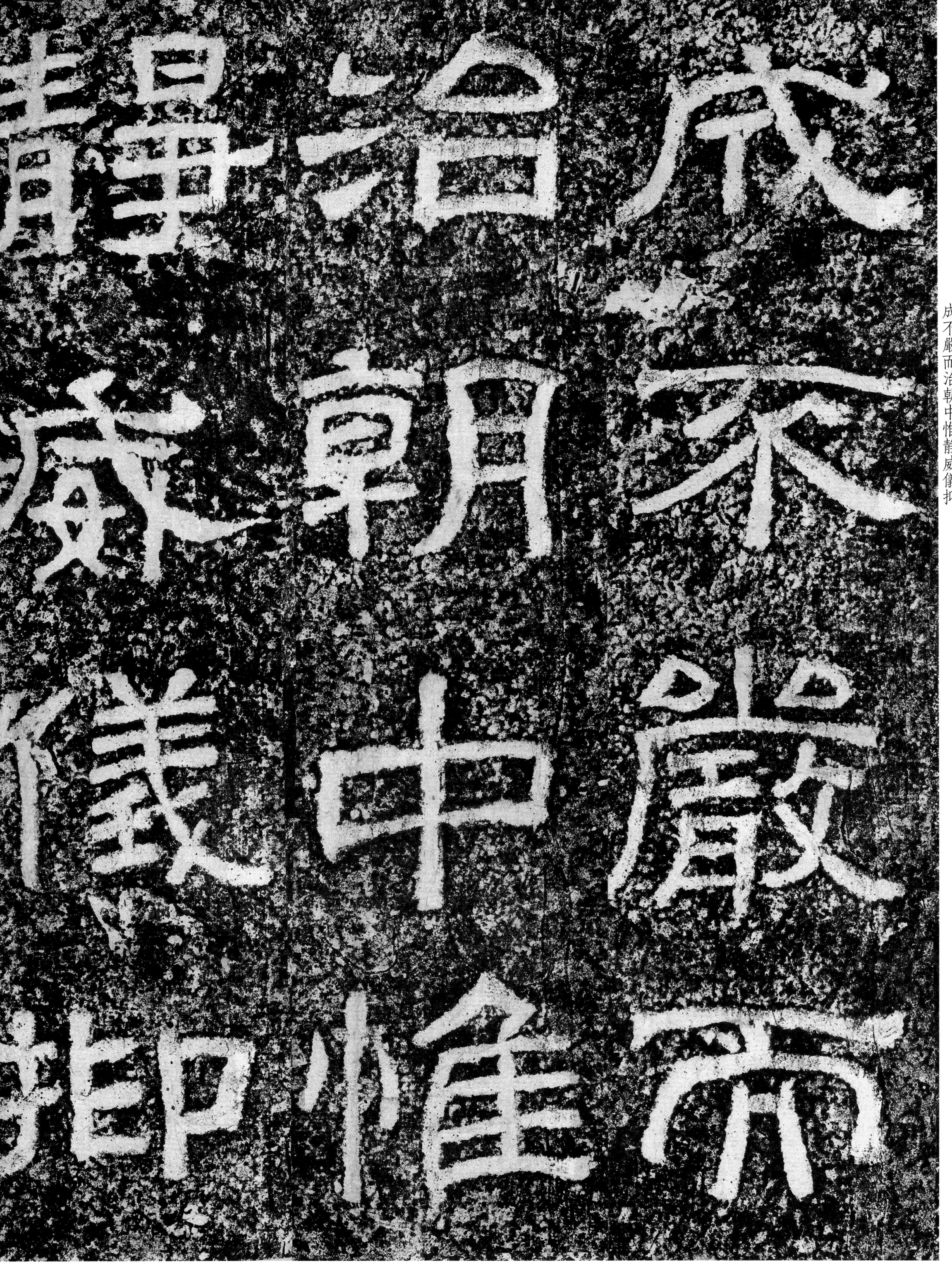

戌不嚴而治朝中惟静威儀抑

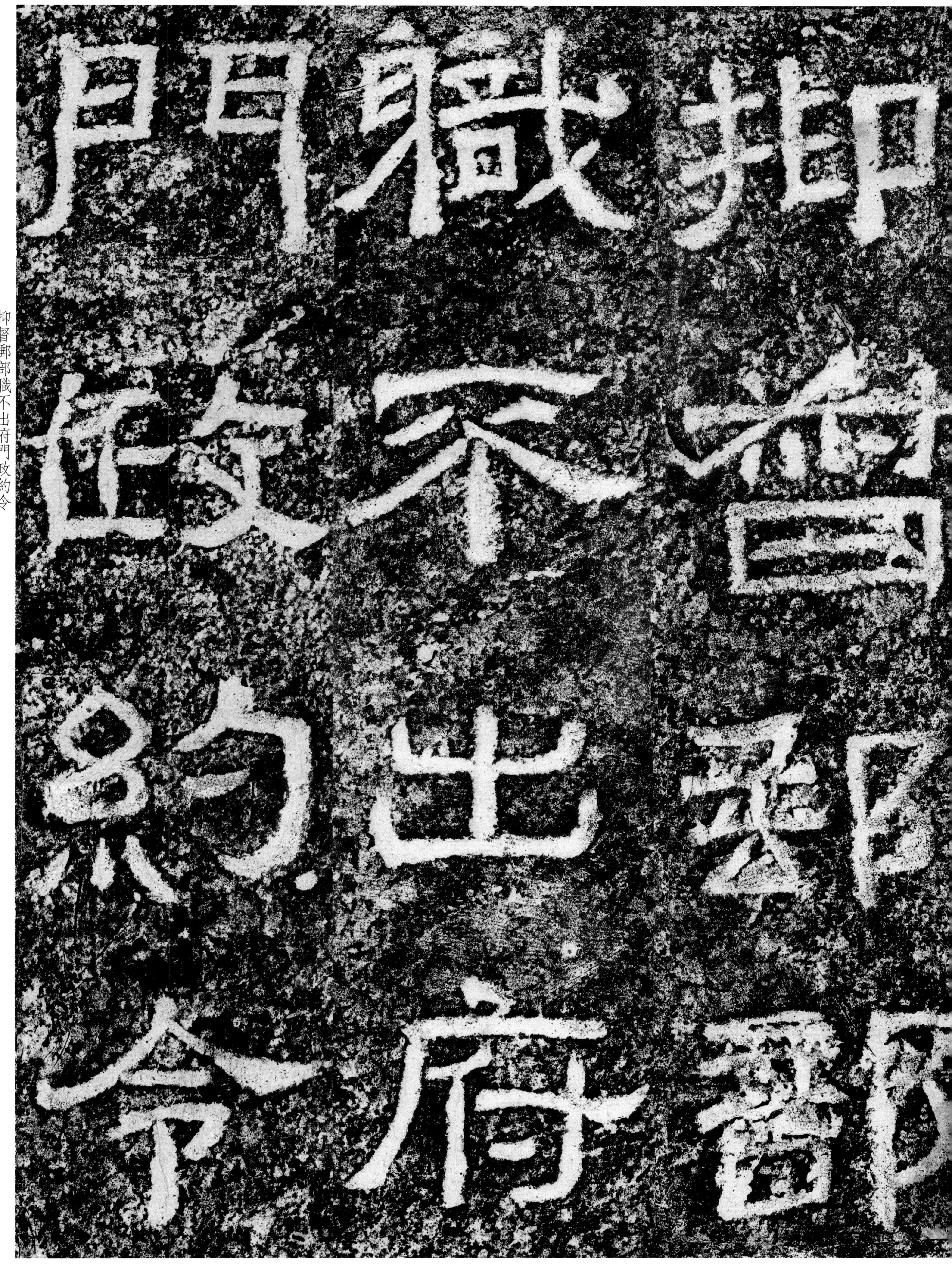

抑督郵部職不出府門政約令

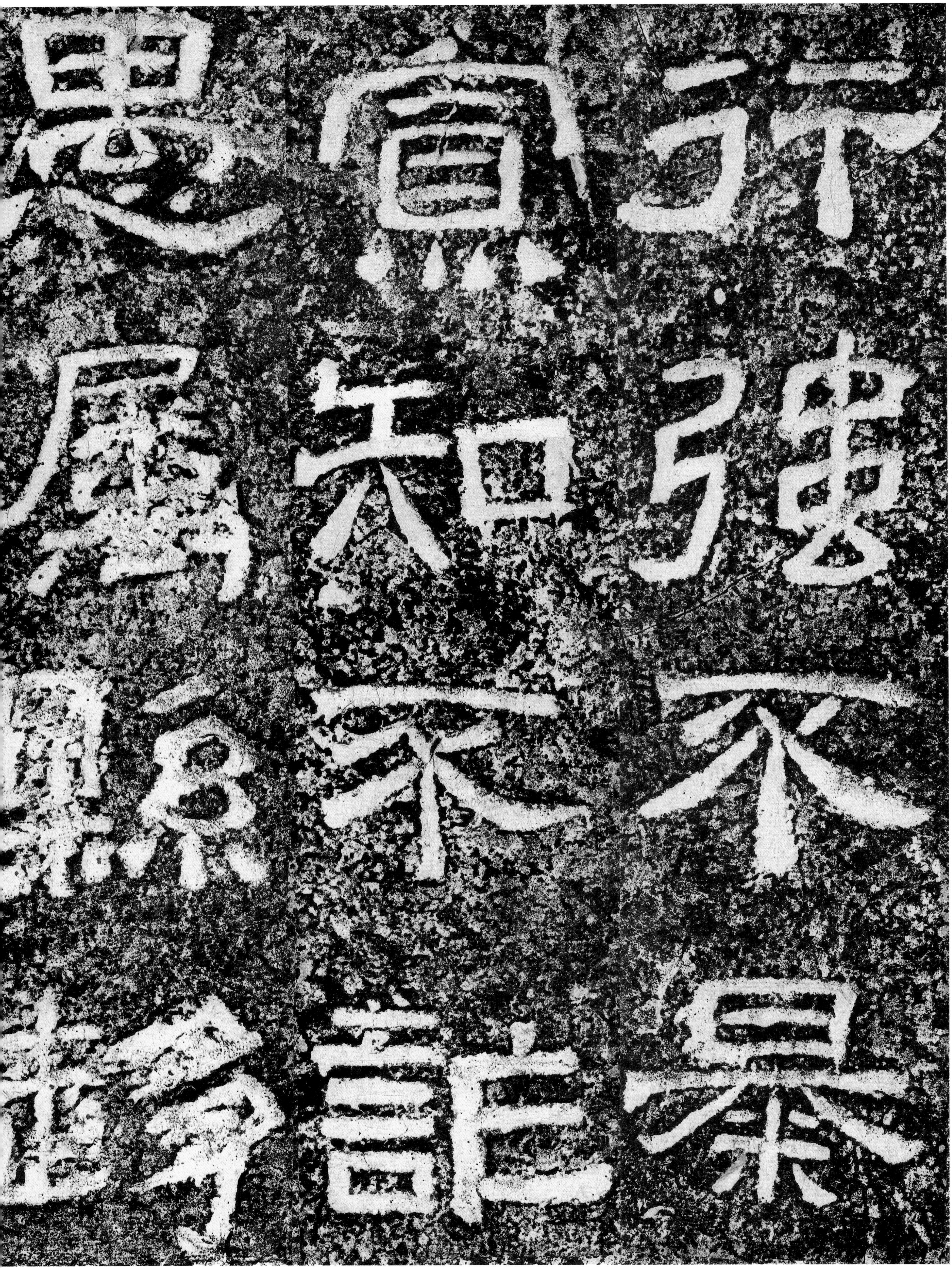

行强不暴寡知不詐愚屬縣趍

教無對會之事儌外來庭面縛

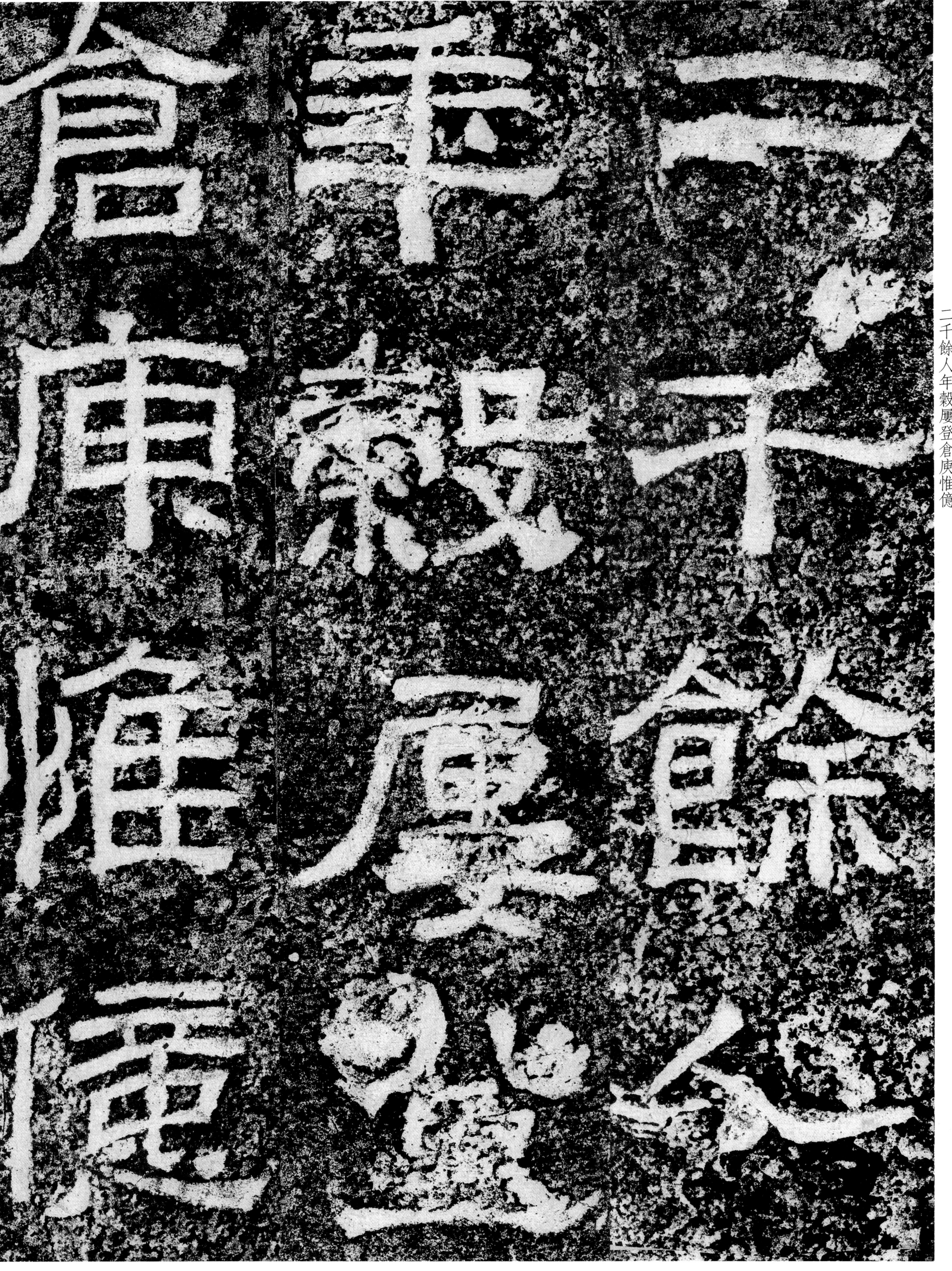

二千餘人年穀屢登倉庚惟億

百姓有蓄粟麥五錢郡西狄中

道危難阻峻緣崖俾閣兩山壁

立隆崇造雲下有不測之谿阸

笮促迫財容車騎進不能濟息

不得駐數有顛覆賈隧之害過

者創楚惴惴其慄君踐其險若

涉淵冰嘆曰詩所謂如集于木

如臨于谷斯其殆哉困其事則

爲設備今不圖之爲患無已勑

衡官有秩李瑾掾仇審因常繇

道徒鐉燒破析刻臽確嵬滅高

就埤平夷正曲柙致土石堅固

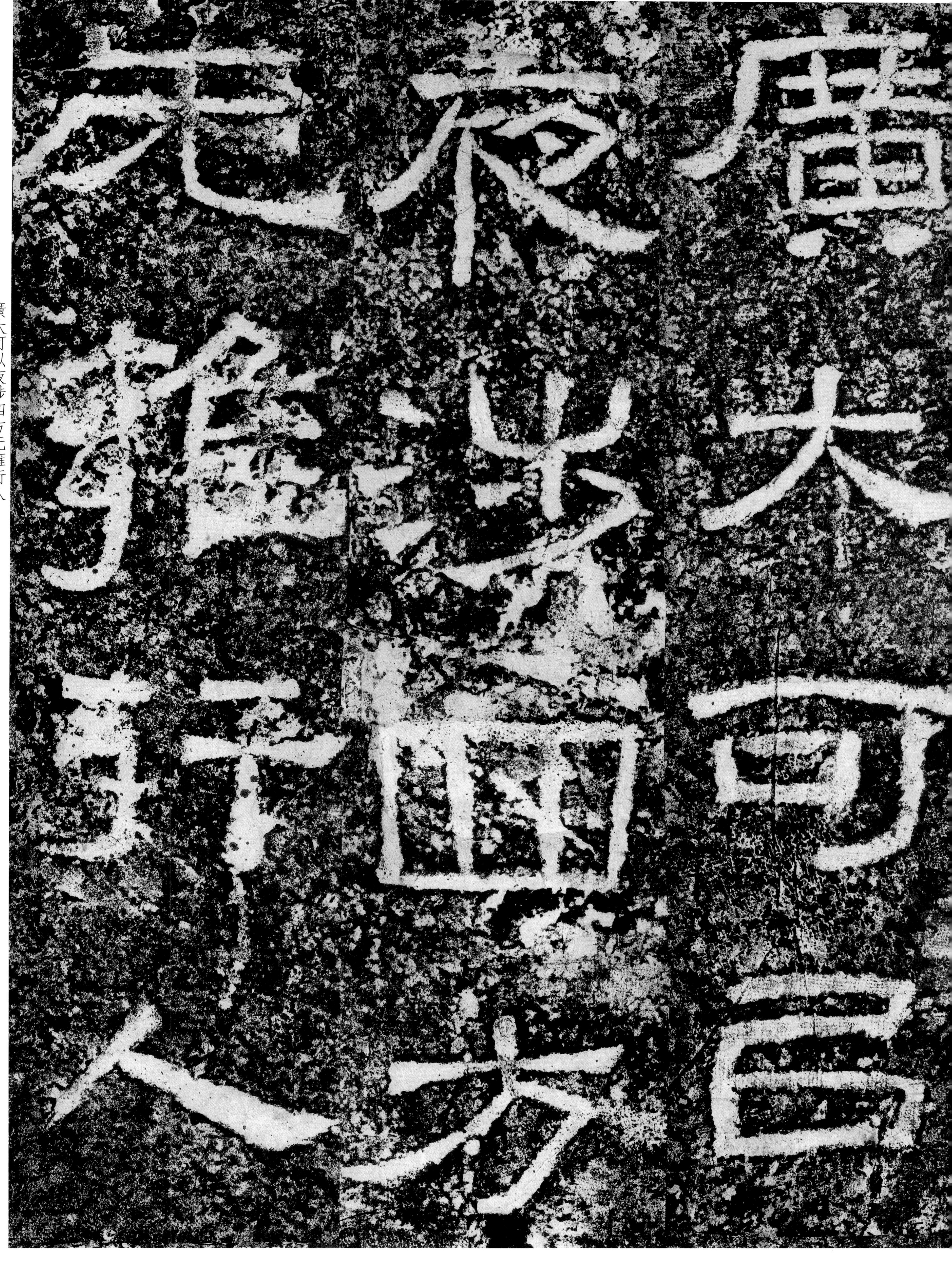

廣大可以夜涉四方无雍行人

懽悀民歌德惠穆如清風乃刊

斯石曰赫赫明后柔嘉惟則

克長克君牧守三國三國清平

詠歌懿德瑞降豊稔民以貨稙

威恩竝隆遠人賓服鏍山浚瀆

路以安直繼禹之迹亦世賴福

建寧四年六月十三日壬寅造

时
府